JN202632

おやすみ、エレン

魔法のぐっすり絵本

カール=ヨハン・エリーン 著

飛鳥新社

ELEFANTEN SOM SÅ GÄRNA VILLE SOMNA
by Carl-Johan Forssén Ehrlin

Illustrations by Sydney Hanson

Publsihed by agreement with Salomonsson Agency
Japanese translation rights arranged through Japan UNI Agency, Inc.

本書の読み方の手引き

【注意！】

車を運転している人のそばで絶対に音読しないこと。

本書は、シリーズ1作目『おやすみ、ロジャー』と同様、お子さんを読み聞かせにより心地よい眠りに導くための本です。リラックスさせ、寝つきをよくするために、少し変わった言葉づかいを意図的に使っています。お子さんによっては、慣れるまでに何回か読み聞かせてあげる必要があるかもしれません。

読み聞かせる前に、まずは一度、ご自身で読み通してみてください。そうすることで本書に対する理解を深めることができ、より上手にお子さんに物語を伝えることができるでしょう。また、巻末に読み聞かせのコツがありますので、参考にしてみてください。

この本には、記号などで読み方を指示している箇所がありますので、下記に従って読んでみてください。

・**太字**の箇所は、言葉や文を強調して読む
・色文字の箇所は、ゆっくり、静かな声で読む
・【あくびする】など動作の指示に従い、【なまえ】にはお子さんの名前を入れる
※お子さんにとってより適した読み方があるようでしたら、ご自身でアレンジしていただいて構いません

それでは健やかに、よい眠りを！

これは、エレンというゾウの女の子のお話です。エレンは世界じゅうでいちばんやさしくて勇気があるゾウ。きみと友だちになって、いろいろなことを教えてあげたいんだって。ちょっと疲れてきたエレンは、魔法の森の向こうがわにあるおふとんで眠りたくなりました。きみにいっしょについてきてほしいみたい。そして、ひと晩じゅうそこですやすや眠るのです。

ゾウのエレンは、ちょうど【なまえ】と同い年。きみと同じように、遊んだり楽しんだりするのが大好き。ひとりでも、友だちといっしょでも。遊んでいるとあっという間に時間が過ぎて、気がついたらおふとんに行く時間になっていることもあります。そう、きみといろいろ似ているんです。そうでしょ？　【なまえ】。だから、このお話でエレンが眠くなったら、きみもかんたんに眠くなるはずだよ。

「疲れてきたから、もう寝たいよう～」

エレンはおかあさんゾウにいいました【あくびする】。

「もちろん、**いますぐ眠って**もいいのよ」とおかあさんゾウ。

「このお話を聞いているお友だちもいっしょに連れていってあげる

といいわ。魔法の森をぬけて、あなたの眠る場所で、いっしょにぐっすり眠るの。魔法の森を通った**子どもはみんな眠くなるんだから**。それに、とってもすてきで、安心な場所よ。あなたはこのお話を聞きながら、どれだけ**早く眠ることにする？　いますぐ眠る？**それとも、もうちょっとあとに眠る？」

　おかあさんゾウがエレンにいいます。
「まわりには眠くなるものがいっぱい。ほーら、**【なまえ】**も、いちばん**眠くなるもの**をどれでも好きに選ぶといいわ」

　エレンはおかあさんゾウに聞きかえします。
「おかあさんはどうやって**くたくたになるの？**」

「ぜんぶのものを眠くしちゃうの。音や声、それにわたしがイメージしていること。そして、頭をゆっくりと枕にのせて、自分に、**楽にするのよ**っていうの。おふとんにくるまれて、とってもいい気持ち。いちばんくたくたになるのは、そんなとき。ちょうど、**いまみたいに**」**【**あくびする**】**

　きみとエレンは、これから冒険に出ます。きみたちふたりをいま

すぐくたくたにする冒険に。坂の上から、おかあさんゾウが眠たそうに、手をふっています。「おやすみ、かわいい子。朝になったら会いましょう。ひと晩じゅうすやすや眠ってからね」

エレンがきみに話しかけます。
「ついておいでよ。わたしがいつも**ぐっすり眠る**場所を教えてあげる。**眠くなったらいつでも寝ちゃっていいんだよ。お話が終わる前**

でもね。わたしも、**ウトウトしながら**お話を読んでもらってるときって、とっても早くくたびれちゃうんだ」

　エレンは続けます。

「さあ、いっしょに魔法の眠りの森に入りましょ。背中に乗っていいよ。そうしたら、**とっても心が静かで、安らかな気持ちになるんだから**。そうすれば、**楽になって自然と眠りに落ちる**と思うよ、【なまえ】。わたしはおふとんでも、魔法の森でも、どっちで眠るのも好きなの、**いますぐ**。どっちも同じように眠たくなるから、思いうかべるたびに、どんどんどんどん、くたびれてきちゃう」

　そうして、エレンはあくびをします【あくびする】。

　森に入ると、エレンがそーっとやさしく話しかけてきます。

「森の中にはやさしい動物たちがたくさんいて、みんなわたしのお友だちなの。ほーら、あそこにいるのは、うたたねモグラ。おとうさん、おかあさんといっしょに暮らしているの」

　うたたねモグラは**目を閉じたまま**、おうちから顔を出していいます。「しーっ。いまは静かにしてお話を聞く時間だよ。ぼくはもうぐっすり眠るところなんだ。おとうさんとおかあさんはこういって

いたよ。子どもが、**そのまま静かにして、**いまこのお話を聞いたら、まわりのことがなんにも気にならなくなるんだって。そして、横になってゆったりしていれば眠くなるんだって。きみがもう眠る時間だって感じたら、いますぐ眠るみたいにね」

うたたねモグラは続けます。
「ぼくはときどき、お話をいっしょうけんめい聞くんじゃなくて、何かほかのことをやっているふりをするんだ。そうすると、もっと落ちついて、くたくたになってくるんだ」
そういって、うたたねモグラは静かになって**眠ります、いますぐ。**

「うたたねモグラのおうちの人はもうみんな寝ちゃったわ。次はわたしと【なまえ】が**いますぐ眠る**番ね。魔法の森の力で」

エレンはそういって、またあくびをします【あくびする】。

魔法の森ではやさしい風が「さぁ、よーくお眠り」とささやきながら吹(ふ)いていて、なんだか、すっかり気持ちよくなってきました。

そのまま歩き続けると、古い階段(かいだん)が見えてきました。エレンはそ

れが「**眠い眠い階段**」だときみに教えてくれます。その階段をおりた子どものほとんどが、**いますぐくたくたになって、**気持ちよくもう横になりたいなぁ～と思うんだって。下へ、下へ、下へとおりながら。

「階段はぜんぶで5段。いっしょにひとつずつおりていくたびに、【なまえ】はどんどん気持ちが落ちついてくるんだよ」とエレン。

じゃあ、行こうか。

ひと～つ……「あぁ、な～んてすてき!」ときみは自分にいいます。考えごとはどこかに消えちゃって、どんどんこのお話に吸(す)いこまれていっちゃいま～す。

ふた～つ……すてきな、ゆったりした気持ちになって、頭も体も落ちついてきます。いますぐだよ～。

みっつ～……ほ～ら、【なまえ】、楽になってきたのがわかるでしょう？

よっつ～……眠くて、ゆったり。まぶたもおもくなってきました。

いつ～つ……さっきより、もっとも～っとく～ったくたになって、エレンもきみも、いい気持ち【あくびする】。

さあ、ついた。と～ってもくったくた。眠っちゃっていいんだよ、【なまえ】。

眠い眠い階段を下までおりると、エレンがくたびれた声でこういいます。「さらさら川へいっしょに行こう。眠くなるものを見せてあげるよ」

きみは川へ行って、くたくたになっちゃうこのお話を、もっと も～っと聞くことにしました。本当は、**あっという間にいますぐ眠りたい、**と思っていたけど。

途中できみは、**【なまえ】と同じくらいきれい**な葉っぱを見つけます。古い眠りの木についたその葉っぱが、枝からちょうど落ちるところ。

葉っぱはふわりと空を舞いはじめると、風にゆられながら、きみをゆっくりおろしていきます。下へ、下へ。とってもゆっくり、とってもきれいに、葉っぱは落ちていきます。ゆっくり落ちる、ゆっくり落ちる。ちょうど、いま、きみの目が閉じていくみたいに。

葉っぱがどんどん下へ下へ落ちていったら、さらさら川はもうすぐそこ。ほら、**【なまえ】**、お魚さんもみんな眠っているよ。

「川の底に落ちたものや、苔のまわりに落ちたものもぜんぶ、かん

たんに眠ってしまうのよ、いますぐ」と眠たそうな声でエレンは教えてくれます。

エレンのいうとおり。川のそばのやわらかい苔の上にやさしくおりた葉っぱは——疲れていたのでしょう——いまではゆったりゆっくりしています。眠る前にあくびして、もう夢の国へと出発で〜す。

「わたしもあの葉っぱになっちゃったみたい」とエレン。もうくたくたにくたびれて、葉っぱといっしょになって、いますぐ眠る準備ができています【あくびする】。

さらさら川につくと、小さな滝の音が聞こえてきます。ブクブクと気持ちよさそうな音たちが、きみをいま、心の底から落ちつかせてくれます。

川べの岩の上には、やさしい森の小人。なまえはいびきのソフィーといって、もう眠っています。ときどき寝ながらお話をするソフィーのねごとが、今夜も聞こえてきますよ。小さな、眠たそうな声でこうつぶやいています。
「足を川につけると、とっても気持ちがいいわよ」

エレンときみは顔を見合わせて、**もうほとんど眠っちゃっている**足を、あったかくてさらさらで、ゆったりした川の流れにつけることにします。いま、そうしていま～す。

そのあたたかで気持ちいい流れに足をつけたとたん、つま先の感じがちょっと変わります。くたくたに疲れていて、もうぐっすり眠

りに落ちていきます。

いびきのソフィーがやさしい声でつぶやきます。

「ほーら、体全体がくたくたになっていくのがわかるわよね、【なまえ】？　足の先から、両足ぜ〜んぶがゆったりと楽になったはずよ」

「おなかや背中ももっともっと楽になってきているみたいね。さあ、息(いき)も落ちついて、ゆっくりになってきたわ」

「その楽な感じが、両手から指先にも広がってきたわ。そうしたら、それをおふとんに、そーっとそのまま寝かせるの」

「だんだんだんだん楽になってきて、頭の中の考えごとも、もう眠りたがっているわよ、【なまえ】」

「体いっぱいに、静かな、楽な気持ちが広がっていって、そのまま朝までぐっすり眠っていられるの。このお話のおかげで、おやすみの準備がどんどんどんどん、できてきたからね【あくびする】」

もうすっかり楽になったきみたちふたりは、ゆっくりじっくり、眠りの小道にまた戻っていきます。エレンのすてきなおふとんへと続く小道を。まだいっぱいくたびれていなくても、いま目をつぶってしまえば、フワーッと流れるように眠ってしまうよ、いますぐ。

眠りに落ちるときがどんどん近づいてくると、きみとエレンの前に、わかれ道が現れます。ふたつの道が、右と左に1本ずつ伸びています。ほんわりした月明かりの下で、親切なオウムのいねむりダニエルが止まり木に止まっているのが見えます。

ダニエルが教えてくれます。
「左の道を行けば、きみたちは**すぐぐっすり眠ってしまう**よ。右の道を行くと、きみたちは**すごい速さで眠っちゃって、ひと晩じゅうぐっすり、すやすや眠るのさ。ものすごい速さで眠っちゃって、ひと晩中ぐっすり、すやすや眠るんだよ**」

「そのとおりだなぁ～」と、きみは思います。

すると、エレンがきみにこういいます。「右の道に行って、**すごい速さで、いますぐ深い眠りに落ちる**のがいいと思う。**どんなに気**

持ちいいことでしょう。それにこっちの道を行けば、毎晩毎晩どんどん早く眠りに落ちるのよ、【なまえ】。このお話をしてもらわなくてもね。そうやってわたしは、いつもぐっすり」

「それってすごくいい」ときみは思いながら、深い深い眠りに向けて小道を歩いていきます。何度も何度も自分にこういいながら。
「**かんたんに眠りに落ちちゃうし、毎晩どんどんどんどん、よく眠れるようになる。**このお話を聞いてもいいし、聞かなくてもいいしね【あくびする】」

明日はね、きみはたっぷり休んで、元気いっぱいの朝をむかえるよ。でもいまは、落ちついてそのまま眠っちゃえばいいからね。

きみは**ぐっすり眠れる小道を歩き続けることにします。もうすっかりくたくた。**それからちょっとして、もっと楽になったころ、きみはうさぎのロジャーに出会います。

「やぁ」とロジャー。ものすごく疲れていて、くたくたみたい。

「あなたもくたくたに疲れていて、いますぐ眠りたいの？」とエレンが聞くと、ロジャーは答えます。いつも眠りに落ちるのを手伝ってくれる、あくびおじさんのところにちょうど行ってきたところで、**ほんとうにくたくたなんだ、いま。**ロジャーはあくびおじさんに、ききめばつぐんの魔法の眠り薬をもらいました。それをロジャーがきみに分けてくれます。きみがぐっすり眠れるように。

「これを体ぜんぶに振りかけるんだ。とってもとっても気持ちよくって、落ちついた気分になって、体ぜんぶがくたくたになるんだよ」と、ロジャーが教えてくれました。

子どももうさぎも、そしてゾウも眠りに落ちる魔法の眠り薬を、エレンはひと袋もらいました。そして長いお鼻で魔法の眠り薬を吸い上げると、フワーッと【なまえ】の体じゅうに吹きかけます。すると眠り薬がきみにかかって、眠りに落ちる感じが強くなる。1回息を吸うたびに、どんどんどんどん眠〜くなってくる。こんなに眠くなっちゃったときは、いますぐ眠るだけ。それがいちばんいい考え。

眠くてフラフラしながら、きみはゆっくりゆっくり小道をおりていきます。すると、枕を抱えた、ぼんやりネズミンがこちらに歩いてきました。エレンがいいます。
「ぼんやりネズミンが何をいってるのかよく聞いて、そのとおりにするといいわ。できるならね。でもわたしはいつもお話を聞いているうちに**ぼんやりしてきて、うんと眠くなっちゃうの**」
　エレンがいうのを聞きながら、きみは目を閉じちゃうよ、ほら。

　ぼんやりネズミンが話し始めます。
「わたしは眠りを探(さが)してる、そしたら**眠たい気持ちがどんどんどんどん大きくなって、**わたしは**絶対(ぜったい)に眠れるって感じ**なの……」

「それといっしょにほかのことも考えちゃって、そうしてると、わたしは**どんどん、いますぐ、くったくた**。ああ、まるで眠りには気持ちがあるみたい。そのボーッとした気持ちがグルーッて体の中をめぐって、もっともっと強くなって、そしたら思い出すの……」

「**もう眠る時間だな、**って。だからわたしがやらないでおこうって思ったことは、もうやらないし、あとはゆったりして、**楽になればいいの、**いい気分で、ぼんやりとね」

「お話のことだけを考えて、あとのことは気にしなくていいのよ。

ほかのことは考えない、いま、**眠ることだけを考えてどんどん眠くなる、**すっかり楽になって、**まぶたがおもくなる**のを感じて……」

「目を閉じれば、ほら、**眠れる、いますぐ。**あっというまにね、**眠りは向こうからやってくる。**がんばらなくてもいいの、かんたんに眠りはやってくる、がんばらなくても眠っちゃう」

「だからね、眠らないぞって思っていても、ひと晩じゅうすやすや眠っちゃう。**いまからわたし、ちょうどそうするところだし、**知ってるの、わたしたちは大丈夫、眠れる自信があるし、心の中ではそれを楽しんでいるのよ」

「もう、なんて眠いのかしら」とぼんやりネズミン。そして、**自分の枕に頭をのせるとすぐに眠りに落ちて、**ひと晩じゅうぐっすり眠ってしまいます【あくびする】。

森をぬけ、砂浜(すなはま)が見えてきます。そう、きみたちがひと晩じゅう、すやすや眠る場所です。エレンときみは気持ちよくって、眠たくて、ゆっくり歩いていきます。だれがどう見ても、**いまのきみはとってもとってもくたくた、**眠りたくってしかたがありません。

小道の終わりあたりに、おとうさんゾウがウトウトしながら待っています。すっかり眠ってしまうまでの最後の何歩かを、いっしょに歩いてくれるんです。**これでもっと心が落ちついて安心、**すっかり楽になっちゃった、はぁ……。

エレンのまぶたも閉じかけていて、おとうさんゾウは、眠いことをたくさん考えていたらすぐに眠ってしまったという自分のお話を、ゆっくりゆっくり話してくれました。
「きみがいますぐ眠り、すやすや眠ることだけを考えていれば、毎晩、どんどん早く眠れるようになるよ【あくびする】」

　おとうさんゾウがゆっくり歩きながら続けます。
「きみの体はいま、楽になろうと決めているよ。そしたら、かんたんにぐっすり眠れる。もしかしたら自分では気づいていないかもしれないけど、きみは本当にくたくたで、ただただ眠りたがっているんだ。まぶたがいつもよりずっとおもいだろう？　それはね、もう目を閉じる時間だよっていう体からのお知らせなんだ。きみはとにかく、すごくくたくたで、いますぐまぶたを閉じたら、ひと晩じゅうすやすや眠れるよ、わたしにはわかってる」

　もっと力がぬけて楽になりながら、きみは砂浜を、ゆっくりゆっくりおりていく〜、おりていく〜、おりていく〜。

「もうすぐ、わたしがぐっすり眠る場所につくよ。きみもいっしょに眠ってくれるとうれしいな」
　これまででいちばん眠たそうな声でエレンがいいます。

「やっとついたよ」とエレン。「**とっても眠いの。**早くおふとんに横になって、そのまま**朝まですやすやぐっすり眠りた〜い**」

「エレンが眠るためには、きみの助(たす)けが必要なんだ」とおとうさんゾウ。「きみがいっしょに眠りに落ちたら、きみも最高にぐっすり眠れるよ」

　おとうさんゾウが続けます。「まだ横になっていないなら、横になろう、いますぐ。そして、そのまま、できるだけ長く眠ろうね。もしも眠れなかったら、眠ったふりをしててね。きみが寝ちゃったと思えば、エレンもぐっすり眠れるから。友だちを助けるために、まず寝たふりからはじめて、そして、**いますぐ眠る**んだよ」

　おとうさんゾウは静かにエレンをおふとんに寝かしつけます。「ほーら……目を閉じてゆったりしてごらん。これまで自分が眠るときにどうしていたかを思い出して、いま、同じようにしてみるんだ。それをちゃんとやっていたら、きみもエレンもすやすや眠ってしまうからね」

　エレンはきみに、今日いちにちいっしょにいてくれてありがとう

といっています。それを聞きながらきみは目を閉じ、眠りに落ちます。いますぐ眠る、なんてしあわせなんだろうって思いながら。エレンが「おやすみ」とつぶやいて、ふたりで夢の国へと出発で〜す。

もうエレンが眠ったんだから、きみもすやすや眠れるよ、ひと晩じゅう【あくびする】。

よーくお眠り、いい子だね。

著者が教える

読み聞かせのコツ Q&A

「絵本を読んであげながら寝かしつけるコツはなんでしょう」
——世界中のママ、パパから聞かれる質問です。

わたしの答えはいつも同じ。「子どもをよく観察すること、そして物語に感情移入すること」。この2つの基本をまずは心がけるとよいでしょう。

より具体的には、以下をご参考ください。シリーズ1作目『おやすみ、ロジャー』に寄せられた質問への回答で、本書にも共通するヒントです。

Q この本の対象年齢はいくつなのでしょうか?

A これまで、生後半年の赤ちゃんから、慢性的な不眠に苦しむ大人の方まで、非常に幅広い年齢層の皆さんの助けになったという声をいただいています。実は、著者としては特に対象年齢は定めていません。

Q うちの子は、お話の中で自分の名前が呼ばれると目が冴えてしまうようです。どうしたらいいでしょうか?

A 自分の名前が物語に登場すると、喜ぶお子さんが大多数です。自分と物語の結びつきをより強く感じることができるからです。ただし、それを嫌がったり、面白がりすぎてしまうようなら、無理に名前を入れる必要はありません。読み飛ばしたり、「きみ」などと読んだり、自由にアレンジしてください。

Q 複数の子どもに向けて読み聞かせをする場合、【なまえ】の箇所では全員の名前を呼んだほうがいいのでしょうか?

A それで寝るならもちろん正解です。うまくいかないなら、名前を呼ばずに読んでもいいでしょう。お子さんは聞いているうちに自然と物語に入りこみ、特に名前を呼ばれなくても、自分に向けて語りかけられているように感じるからです。

Q 言葉を強調したり、ゆったりした声を出したりという読み方が、どうもうちの子にはしっくりこないみたいです。読み方を変えても大丈夫?

A 強調の度合いを抑えめにしたり、読むスピードを速めて構いません。また、オーディオ版をお試しいただくという選択肢もあります(*日本語版は『おやすみ、ロジャー』の朗読CDブックと、ネットでダウンロードできるオーディオブックが発売中)。

Q うちの子は特定の箇所で眠くなるようです。寝かしつけるためにそこを繰り返し読んであげているのですが、このやり方に問題はありますか?

A とてもいいアイディアだと思います。逆に、特定の箇所で目が冴えてしまうなら、そこを飛ばしてしまうのも1つの方法です。

Q たとえば、2ページ目ですっかり眠ってしまった場合も、最後まで読み続ける必要はあるのでしょうか?

A ぐっすり眠った時点で切り上げても差支えありません。ただ、多くのママ、パパから、「最後まで読み通したほうが眠りが深くなる」と聞いています。より深く、快適な眠りをもたらすために、私からもそちらをお勧めします。

とにかく、本書でお子さんに伝えたいのは「リラックスして眠ってね」というやさしいメッセージ。そのための読み方は一つではありませんから、ご自身とお子さんにあったやり方を楽しみながら探してみてください。

おやすみ、エレン 魔法のぐっすり絵本

2017年　2月25日　第1刷発行
2018年　10月23日　第8刷発行

著者／カール=ヨハン・エリーン
監訳者／三橋美穂

発行者／土井尚道
発行所／株式会社 飛鳥新社
〒101-0003 東京都千代田区一ツ橋2-4-3 光文恒産ビル
電話（営業）03-3263-7770（編集）03-3263-7773
http://www.asukashinsha.co.jp

ブックデザイン／城所潤+大谷浩介（ジュン・キドコロ・デザイン）
印刷・製本／中央精版印刷株式会社

ISBN 978-4-86410-555-2

編集担当／矢島和郎